JN136946

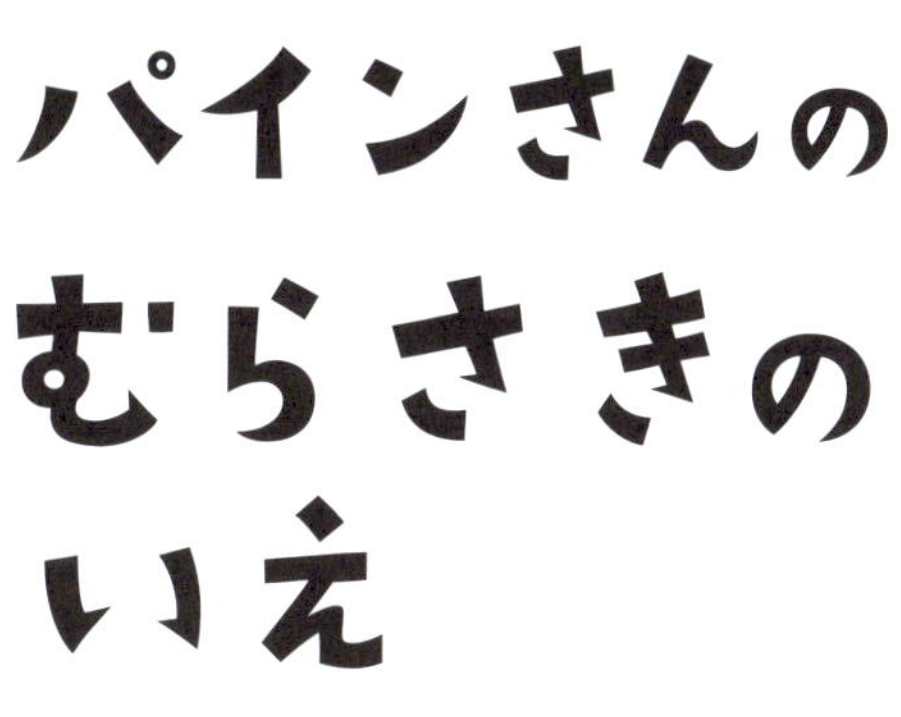

レオナード・ケスラー／さく

小宮　由／やく

MR.PINE'S PURPLE HOUSE

パインさんは、
バインどおりに
ある、小さな
白い いえに
すんでいました。

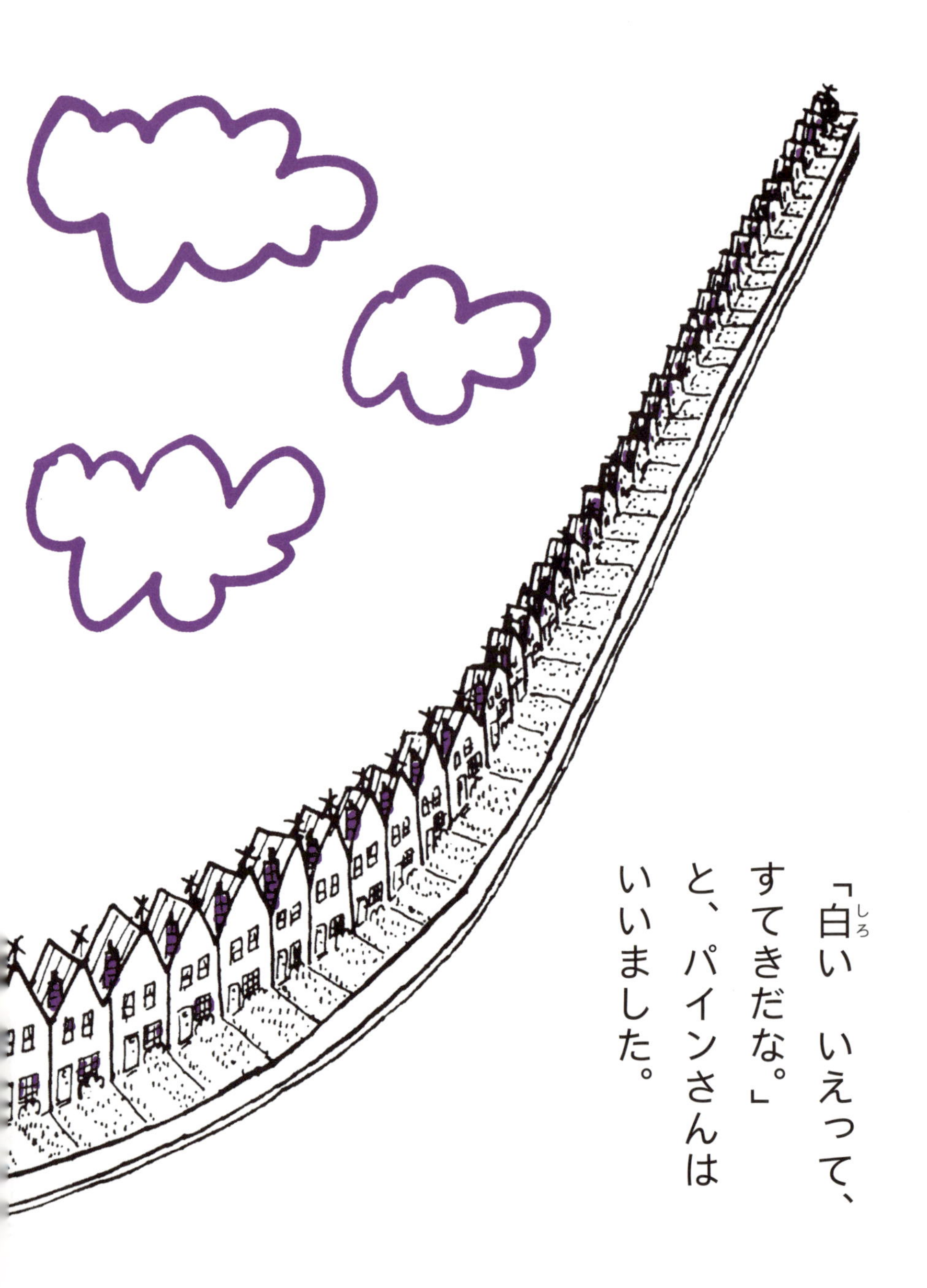

「白い　いえって、
すてきだな。」
と、パインさんは
いいました。

「でも、この　とおりには、
白い　いえが、ずらーっと
五十けんも　ならんでる。
これだと、どれが　じぶんの
いえだか　よく　わからん。」

パインさんは、
とおりを　ながめながら、
どうしたものかと
かんがえました。

「そうだ。」
と、パインさんは
いいました。
「にわに、小さい
マツの木を　うえよう。
小さい　マツの木が　ある
にわが、わしの　いえ。
うん、それが　いい！」

「よし、では
さっそく
うえよう。」
パインさんは
そう いって、
にわに、小(ちい)さい
マツの木(き)を
うえました。

パインさんの
いえの　となりには、
ブラウンさんが
すんでいました。
「おや、いい
マツの木ですね。」
と、ブラウンさんは
いいました。

ブラウンさんの
いえの　となりには、
グリーンさんが
すんでいました。
「まあ、かわいい
マツの木ね！」
と、グリーンさんも
いいました。

グリーンさんの
いえの　となりには、
ホワイトさんが
すんでいました。
「とっても
すてきな
マツの木ねぇ。」
と、ホワイトさんも
いいました。

つぎの日の　あさ、
パインさんは、
小さい　マツの木を
見てみようと、
まどから　にわを
のぞいてみました。
　すると、　なにが
見えたと
おもいます？

それは、ずらーっと　ならんだ
五十(ごじっ)けんの　白(しろ)い　いえの　にわに、
ずらーっと　ならんだ　小(ちい)さい
マツの木(き)だったのです！
「なんてこった！」
と、パインさんは　いいました。
「せっかく　マツの木(き)を
うえたのに、これだと、
どれが　じぶんの　いえだか
わからんじゃないか！」

パインさんは、
とおりを
ながめながら、
また　かんがえました。
「そうだ。」
と、パインさんは
いいました。
「だったら、小さい
マツの木の　となりに、
大きい　ツツジを
うえよう。」

「大きい　ツツジと、
小さい　マツの木が
ある　にわが、
わしの　いえ。
うん、それが　いい！」

パインさんは、
さっそく　しごとに
かかりました。

あなを　ほり、

大きい　ツツジを　うえて……

「できた！」
と、パインさんは
いいました。
「うん、なかなか
いいぞ。」

「おや、いい　ツツジですね。」
そこへ、ブラウンさんが
やってきて　いいました。
「まあ、かわいい
ツツジね！」
と、グリーンさんも
いいました。
「とっても　とっても
すてきな　ツツジねぇ。」
と、ホワイトさんも
いいました。

つぎの日の　あさ、
パインさんは、
小さい　マツの木の
となりの、
大きい　ツツジを
見てみようと、
まどから　にわを
のぞいてみました。
　すると、なにが
見えたと　おもいます？

それは、
ずらーっと　ならんだ
五十(ごじっ)けんの　白(しろ)い
いえの　にわに、
ずらーっと　ならんだ
小(ちい)さい　マツの木(き)と、
大(おお)きい
ツツジだったのです！

「おやおや、
なんてこった！」
と、パインさんは
いいました。
　またもや、
どの　いえも
おなじに　なって
しまったのです。

パインさんは、
かんがえて　かんがえて
かんがえました。
「そうだ。」
と、パインさんは
いいました。
「いえの　いろを
ぬりかえよう！」
パインさんは、　さらに
また　かんがえました。
「そうすると……
なにいろが　いいかな？」

「赤？　きいろ？
オレンジ？
んー、ちがうな。
青？　みどり？
それとも　ピンク？
あっ、そうだ。
わしの　すきな
むらさきだ！」

パインさんは、
さっそく　町（まち）へ、
ペンキを　かいに
出（で）かけました。

「やあ、こんにちは。
ペンキが　ほしいんだが。」
パインさんは、ペンキやの
ダッシュさんに　いいました。
「わしの　いえを
むらさきいろに　しようと
おもってね。」
「むらさきですか？」
と、ダッシュさんが　ききました。
「そう、むらさき。」
と、パインさんは
こたえました。

「みどりも　きれいですよ。」

と、ダッシュさんが　いいました。

「いいや、だめだめ。」

と、パインさんは　いいました。

「赤も　きれいですよ。」

「いいや、だめだめ。」

「白も　すてきだと
おもいますが……」

「だめだめ、白は
ぜったいに　だめ！

わしは、じぶんの　いえを
むらさきいろに　したいんだ。」

「そうですか。」
と、ダッシュさんは　いいました。
「ただ、いえを　ぜんぶ
ぬりかえるとなると、
大きな　ペンキのカンが
九つぐらい　いりますよ？」
「かまわんよ。それから
ペンキを　ぬる　ハケも
おくれ。」
と、パインさんは　いいました。

「あと、パテと、
パテを　のばす
ヘラ、

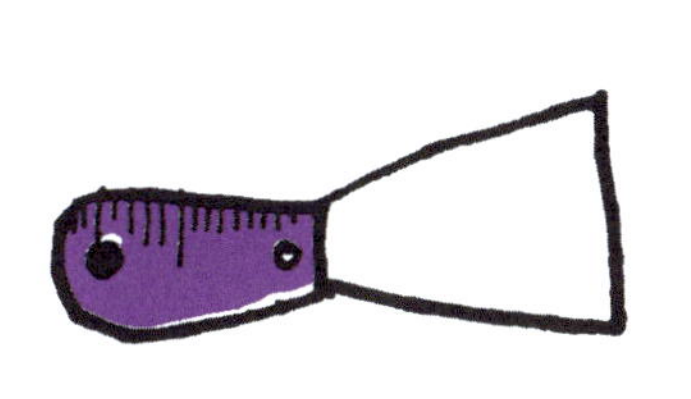

それから
かねだわしと、
かみやすり、

バケツと、
かきまぜぼうと、
ハケを　あらう
シンナーも　もらおう。」

パインさんは、
かったものを
トラックに
つみこむと、いえへ
かえりました。
　いえに　つくと、
パインさんは、
ながい　はしごと、

みじかい
はしごを
ようい
しました。

「ペンキを
ぬるまえに、
まず　やることは、」
と、パインさんは
いいました。
「まどわくに
パテを　ぬり、
やねの上を
きれいに
はくこと。

それから、
ペンキを
まぜて　まぜて
よーく　まぜたら、
じゅんび
かんりょう！」

パインさんは、
ながい　はしごの
てっぺんまで
のぼると、
ペンキを
ぬりはじめました。
　ペタ、ペタ、ペタ、
シャッ、シャッ、シャッ。

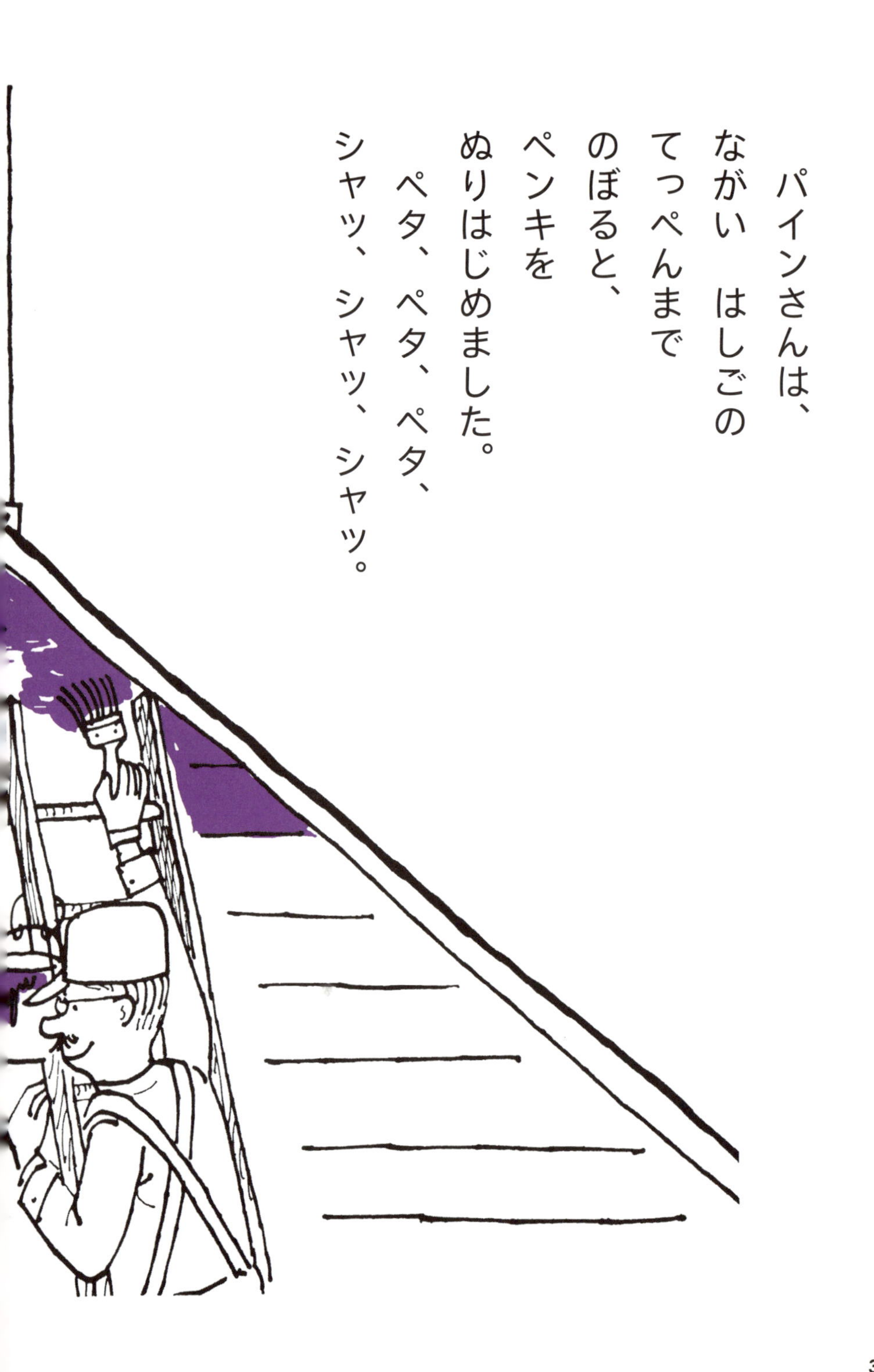

そのころ、
きんじょの
男の子たちが、
パインさんの
いえの　ちかくで、
やきゅうを
していました。
　でも、
パインさんは
それを
しりません。

男の子が、
カキーンと
ボールを
うちました。
ボールは、
ヒューンと
とんで
いきました。

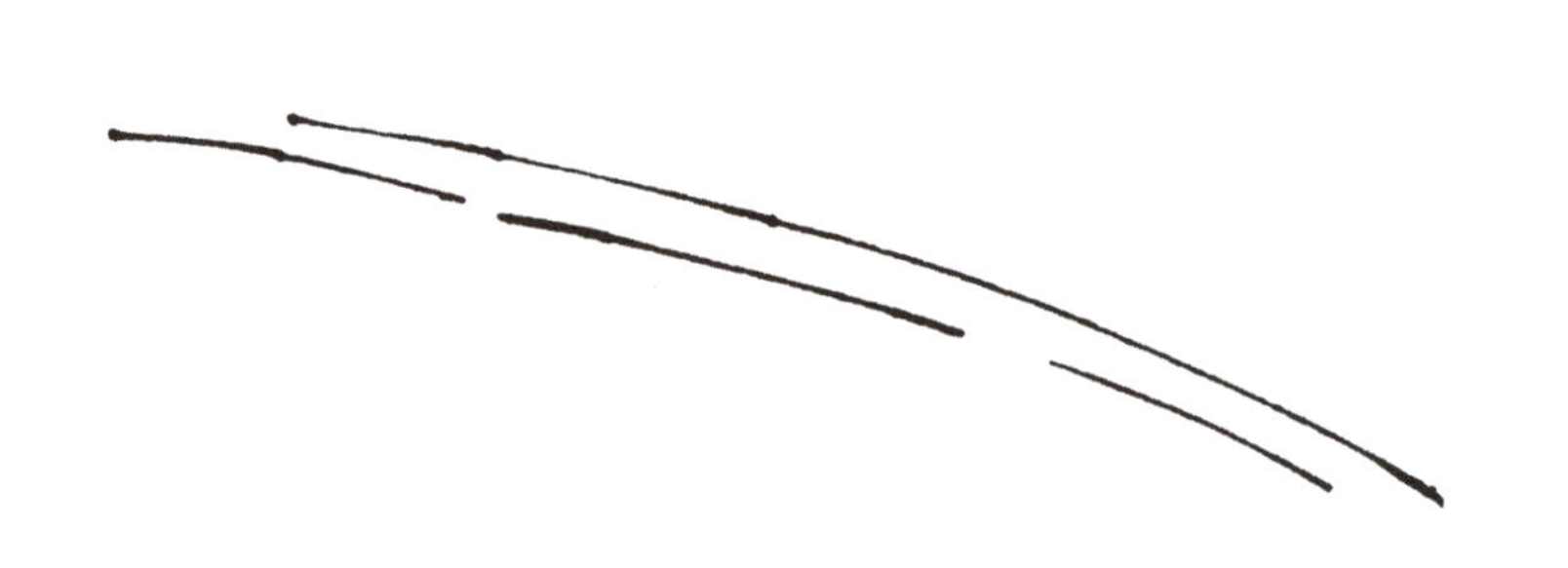

「パインさん、
よけて！」
男の子たちは
さけびました。
でも、
パインさんには
きこえていません。

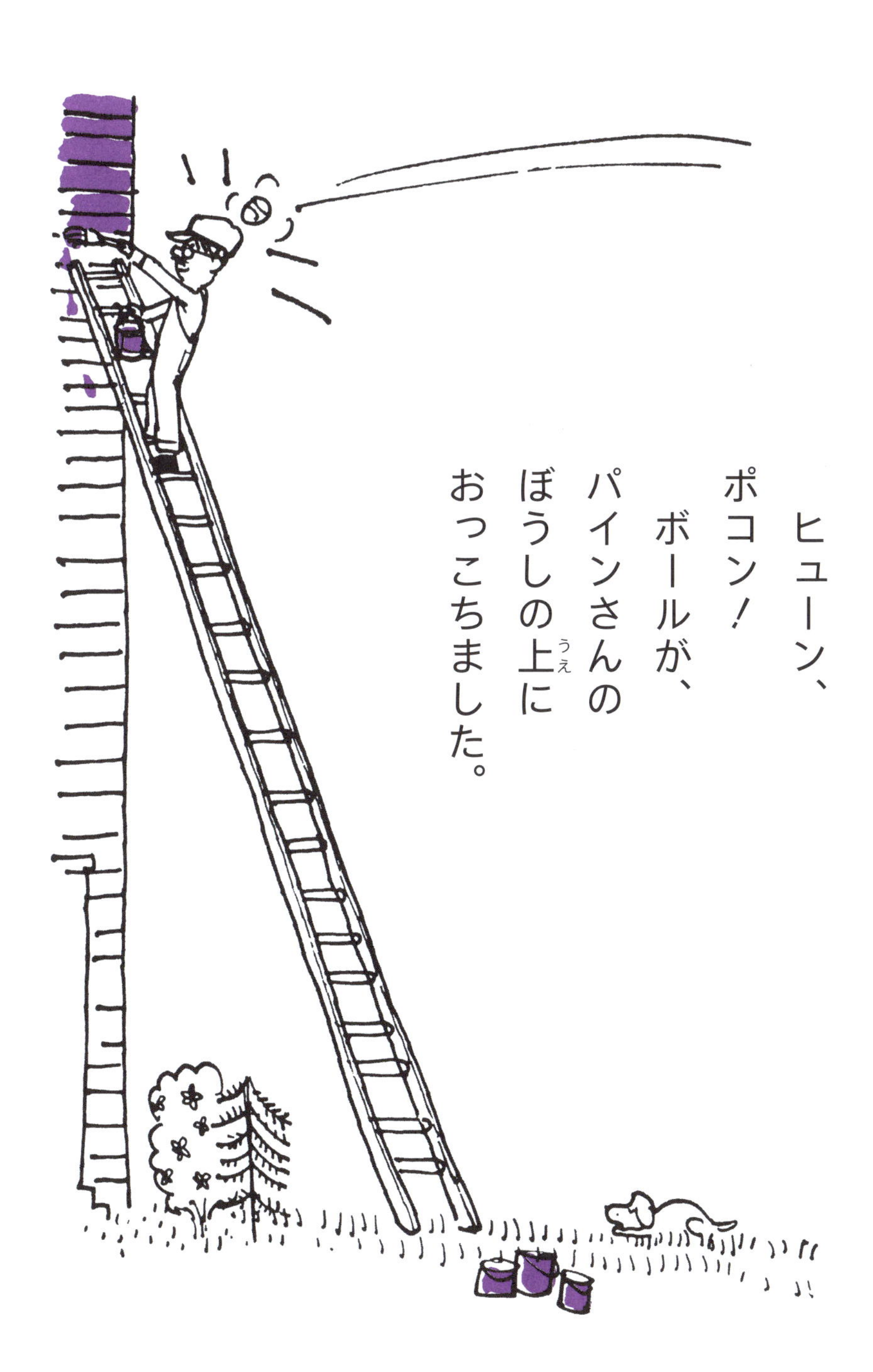

ヒューン、
ポコン！
ボールが、
パインさんの
ぼうしの上（うえ）に
おっこちました。

すると、
その　ひょうしに
はしごが　たおれ、
ハケが　じめんに　おち、
ペンキも　じめんに　おちて、
さいごに、パインさんも
おちてきました！

「いててて……。いったい　なにが
おこったんだ？　ペンキが
こぼれちまったじゃないか。」
と、パインさんは　いいました。
「しかたない、あたらしい
ペンキを　つかおう。」
パインさんは、また
はしごを　のぼっていきました。
ペタ、ペタ、ペタ、
シャッ、シャッ、シャッ。

そこへ、ブラウンさんの
ねこが　やってきました。
すると、それを　見た
パインさんの　犬が、
ねこを　おいかけだしました。
　ぐるぐるぐる、
ワン、ワン、ワン！
　ぐるぐるぐる、
ニャー、ニャー、ニャー！

ねこは、犬(いぬ)に　おわれて、
はしごを　のぼりだしました。
パインさんは、
きづかないまま、
はしごを　おりてきます。
ムギュッ。
パインさんは、
ねこの　足(あし)を
ふんづけてしまいました！

「ニャ――ッ！」
ねこは　とび上がりました。

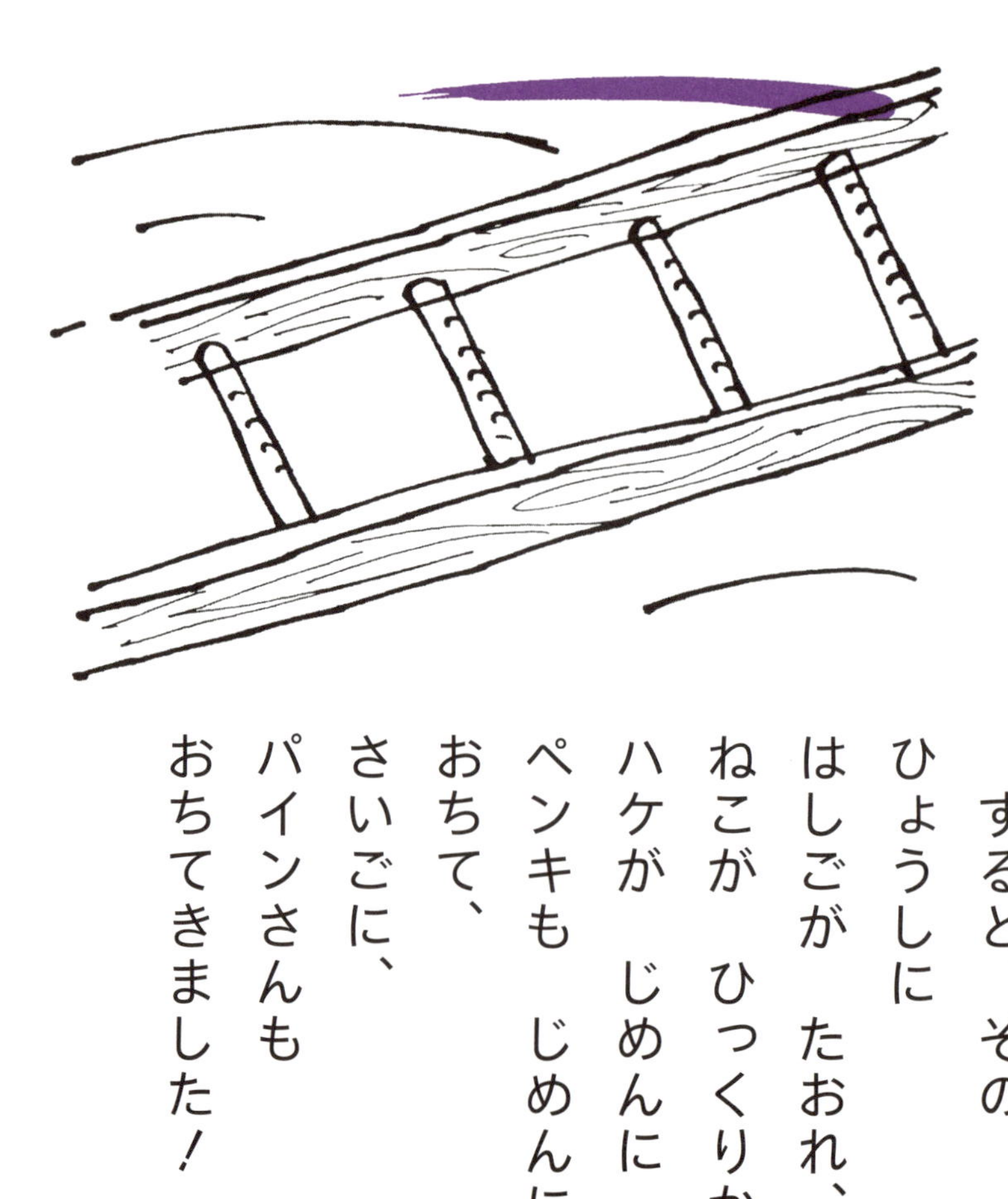

するとそ、その
ひょうしに
はしごが　たおれ、
ねこが　ひっくりかえり、
ハケが　じめんに　おち、
ペンキも　じめんに
おちて、
さいごに、
パインさんも
おちてきました！

きが　つけば、
あたりは、
むらさきの
ペンキだらけ。

むらさきの　ねこに、
むらさきの　犬、
むらさきの　ぼうしに、

むらさきいろの
パインさんの　はな。

「やれやれ、しかたない。
あたらしい　ペンキを
つかおう。」
パインさんは、また
はしごを
のぼっていきました。
ペタ、ペタ、ペタ、
シャッ、シャッ、シャッ。
パインさんは、
ペンキを　ぬって　ぬって
ぬりつづけました。

そして
とうとう、
パインさんの
いえは、
きれいな
むらさきいろに
なりました。

すると、
バインどおりの
人たちが、
むらさきいろの
いえを
見にきました。
　こんな
すてきな　いえ、
いままで　だれも
見たことが
ありません。

「おやいい　むらさきですね。
ぼくも　ぬりかえよう！」
と、ブラウンさんが
いいました。
「まあ、かわいい　むらさきね。
うちも　ぬりかえましょ！」
と、グリーンさんも　いいました。
「とっても　すてきな
むらさきねぇ。
わたしも　ぬりかえなくっちゃ！」
と、ホワイトさんも　いいました。

「まった　まった！」
パインさんは、
こえを　あげました。
「パインどおりに、
ずらーっと
ならんだ
五十けんの
むらさきいろの
いえなんて
かんべんしてくれ！」

「じゃあ、うちは　ちゃいろだな。」

と、ブラウンさんが　いいました。

「うちは　みどりね。」

と、グリーンさんも　いいました。

「それなら、うちは　白の　ままに　するわ。」

と、ホワイトさんが　いいました。

すると、ほかの　きんじょの　人たちも
「うちは　赤だ！」

「うちは　きいろだ！」

と、いいはじめました。

いまも、バインどおりには、ずらーっと
ならんだ　五十けんの　いえが　たっています。
でも、いえの　いろは　さまざまで、
赤い　いえも　あれば、
みどりの　いえも　あります。
きいろも　あれば、ちゃいろも　あるし、
ピンクも　あります。
もちろん、白いままの　いえも　のこっています。
ですが、バインどおりで
むらさきいろの　いえは、一けんだけです。
それが、パインさんの　いえでした！

（おしまい）

かんばん
パイン
966-2618

作者のことば

パインさんって、わたしなのでしょうか……？

ときどき、読者の子どもたちから
「あなたは、パインさんに、にてますか？」とか
「あなたが、パインさんですか？」と聞かれることがあります。

そのこたえは「はい」でもあり「いいえ」でもあります。

その理由は、パインさんとわたしには、おなじところと、ちがうところがあるからです。

パインさんは、メガネをかけていますが、わたしもかけています。

パインさんは、犬とねこを飼っていますが、わたしも、スパンキーという犬と、ビアンカという黒ねこを飼っていました。

パインさんは、口ひげをはやしていますが、

私は、はやしたことがありません。
パインさんは、ぼうしをかぶっていますが、わたしも、ぼうしが大すきです。とくに、やきゅうぼうを、よくかぶっています。

さいきん、わたしが通販で買ったにもつを、おくさんにあけられ

「まあ！　あなた、またぼうしを買ったのね」と、いわれるほどです。

パインさんは、かんばんをかいたり、いえをぬったりしますが、わたしも、高校三年生のとき、ペンシルベニア州ピッツバーグのスーパーマーケット「ペニーワイズ」で、かんばんかきのアルバイトをしたことがあります。

「パインさんって、わたしなのでしょうか……？」

ニューヨークのロックランドに引っこしたとき、さいしょに住んだいえは、うすむらさき色でしたよ！

レオナード・ケスラー (1920-2022)

アメリカ、オハイオ州生まれ。画家だった祖母の影響で絵が好きになり、高校に通いながら看板を描く仕事をし、戦後、ペンシルベニア州のカーネギーメロン大学に入学。画家のアンディ・ウォーホルと知り合い、卒業後も親交を深めた。26歳の時に、ソーシャルワーカーであり幼稚園教諭だったエセルと結婚し、1949年にニューヨークへ移住。31歳の時に『What's In a Line?』で絵本作家としてデビューすると、以後、200冊以上の作品を発表。内、妻との共作が40冊以上ある。主な邦訳作品に『うさぎがいっぱい』(大日本図書)などがある。

小宮(こみや) 由(ゆう) (1974-)

東京生まれ。2004年より東京・阿佐ヶ谷で家庭文庫「このあの文庫」主宰。主な訳書に「おはなし3にんぐみ」「ぼくはめいたんてい」「こころのほんばこ」「こころのかいだん」シリーズ(大日本図書)、『さかさ町』『けんかのたね』(岩波書店)、『パイパーさんのバス』(徳間書店)、「おばけのジョージー」「ねこのオーランドー」シリーズ(好学社)など多数。祖父は、トルストイ文学の翻訳家であり良心的兵役拒否者である、故 北御門二郎。

パインさんのむらさきのいえ

作　レオナード・ケスラー
訳　小宮 由

2024年8月30日　第1刷発行

発行者：中村 潤

発行所：大日本図書株式会社

〒112-0012 東京都文京区大塚 3-11-6
URL：https://www.dainippon-tosho.co.jp/
電話：03-5940-8678（編集）　03-5940-8679（販売）
048-421-7812（受注センター）
振替：00190-2-219

デザイン：ITF/NOTE BASE　石川智子

印刷：株式会社精興社

製本：株式会社若林製本工場

ISBN978-4-477-03514-7　C8397　60P　21.0㎝×14.8㎝　NDC933